글을 쓰고 그림을 그린 **앤서니 브라운**은 1946년 영국에서 태어났습니다.
자신만의 독특한 화풍으로 진지한 주제를 유머러스하고 재미있게 표현한다는
평을 받으며, 많은 작품이 전 세계에서 출간되어 널리 사랑받고 있습니다.
1983년에《고릴라》로, 1992년에《동물원》으로 영국에서 그해에 가장 훌륭한
그림책을 그린 일러스트레이터에게 주는 케이트 그린어웨이 상을 받았으며,
2000년에는 한스 크리스티안 안데르센 상을 받았습니다.
작품으로는《동물원》,《고릴라》,《미술관에 간 윌리》등이 있습니다.

글을 옮긴 **장미란**은 고려대학교 영어교육과를 졸업하고 영어 번역을 하고 있습니다.
그동안《동물원》,《어느 날 아침》,《트루블로프》등 많은 어린이책을 우리말로 옮겼습니다.

그림책은 내 친구 002
터널
앤서니 브라운 글 · 그림/장미란 옮김
2002년 9월 15일 초판 1쇄 펴냄/2013년 6월 25일 초판 18쇄 펴냄
펴낸이 박강희/펴낸곳 도서출판 논장/주소 121-883 서울시 마포구 합정동 413-16
전화 335-0506 전송 332-2507/출판등록 제10-172호 · 1987년 12월 18일
ISBN 978-89-8414-050-9 77840

THE TUNNEL by Anthony Browne
Copyright ⓒ 1989 by Anthony Browne
All rights reserved.
Korean copyright ⓒ 2002 by Nonjang Publishing Co.
This Korean edition was published by arrangement with Walker Books Limited,
London through KCC, Seoul.

· 책값은 뒤표지에 있습니다.
· 잘못된 책은 바꿔 드립니다.

터널

앤서니 브라운 글·그림 / 장미란 옮김

어느 마을에 오빠와 여동생이 살았어요. 둘은 비슷한 데가 하나도
없었어요. 모든 게 딴판이었죠.

동생은 자기 방에 틀어박혀 책을 읽거나 공상을 했어요.
오빠는 밖에 나가서 친구들과 웃고 떠들고, 공놀이를 하고,
뒹굴며 뛰어놀았고요.

밤이면 오빠는 곤히 잠들었지만, 동생은 말똥말똥 깨어 있었죠.
밤에 들려오는 모든 소리에 귀를 기울이면서. 이따금 오빠가
살금살금 다가와 동생을 깜짝 놀라게 하기도 했어요. 동생은
깜깜한 밤을 너무너무 무서워했거든요.

둘은 얼굴만 마주치면 티격태격 다투었어요.
언제나 말이에요.

어느 날 아침, 엄마가 보다 못해 화를 냈어요.
"둘이 같이 나가서 사이좋게 놀다 와! 점심때까지 들어오지 마."
하지만 오빠는 동생이랑 같이 놀기 싫었어요.

둘은 쓰레기장으로 갔어요.

오빠가 투덜거렸어요.

"왜 따라왔어?"

동생이 말했어요.

"누가 오고 싶어서 왔어? 나도 이렇게 끔찍한 데 오기 싫어.

너무 무섭단 말이야."

오빠가 놀렸어요.

"어휴, 겁쟁이! 뭐든지 무섭대."

오빠는 혼자서 여기저기 살피러 다녔어요.

조금 있다가 오빠가 큰 소리로 불렀어요.

"야! 이리 와 봐!"

동생은 조심스레 오빠가 있는 데로 다가갔어요.

"이것 봐! 터널이야. 저 끝에 뭐가 있는지 알아보자."

"시, 싫어. 마녀가 있을지도 몰라……. 아니면 괴물이…….
터널 속에 뭐가 있을지 모르잖아."

오빠는 동생을 비웃었어요.

"징징거리지 좀 마, 어린애처럼."

동생은 영 내키지 않았어요.

"엄마가 점심때까지 오랬는데……."

동생은 터널이 무서워서, 터널 밖에서 오빠가 나오기만 기다렸어요.
하지만 아무리 기다려도 오빠는 나오지 않았어요. 동생은
금방이라도 울음이 터질 것만 같았어요. 어쩌면 좋죠?
동생은 할 수 없이 오빠를 찾아 터널 속으로 들어갔어요.

터널 속은 컴컴하고,

축축하고, 미끈거리고, 으스스했어요.

터널 반대편으로 나가 보니, 고요한 숲이 있었어요. 오빠는 그림자도
보이지 않았어요. 숲은 갈수록 컴컴하고 울창해졌어요. 동생은 자꾸만
늑대와 거인과 마녀가 떠올라, 당장에라도 돌아가고 싶었어요. 하지만
그럴 수가 없었지요. 혼자 돌아가 버리면, 오빠는 어떻게 될까요?
마침내 동생은 겁에 질려 마구 뛰기 시작했어요.
빨리빨리, 빨리빨리……

그러다가 숨이 차서 멈추어 서자, 빈터가 나타났어요.
그런데 거기에 돌처럼 굳어 버린 사람이 있지 않겠어요?
바로 오빠였어요.
동생은 흐느껴 울었어요.
"아, 어떡해! 내가 너무 늦게 왔나 봐!"

동생은 차갑고 딱딱한 돌을 와락 껴안고 울었어요.
그러자 돌은 조금씩 색깔이 변하면서 부드럽고 따스해졌어요.

돌이 조금씩, 아주 조금씩 움직이더니, 어느새 오빠로 바뀌었어요.
오빠가 반갑게 말했어요. "로즈! 네가 와 줄 줄 알았어."
오빠와 동생은 다시 깊은 숲을 지나고 작은 숲을 거쳐, 터널을 지나
밖으로 나왔어요. 둘이서 함께.

집에 오니, 엄마가 점심을 차리고 있었어요.
엄마가 말했어요.
"어서 오너라. 둘 다 아주 얌전하구나. 별일 없었니?"
로즈는 오빠를 보고 웃었어요.
오빠도 로즈를 보고 살며시 웃어 주었고요.